Guía de

Animales
domésticos
y del bosque

LIBSA

El perro

Amigo y defensor

NOTAS

Puedes encontrar más de ¡300 razas diferentes!, desde los pequeños chihuahuas, que pesan un kilo, hasta los dogos y mastines, que pueden aproximarse a los 80 k. Con la altura pasa lo mismo: oscila, según la raza, de 20 cm a un metro.

Pertenece a la familia de los lobos, coyotes y zorros, pero está domesticado desde hace al menos... ¡14.000 años!

¿DÓNDE vive?

Desde hace miles de años, vive en cualquier sitio donde haya seres humanos.

¿EN QUÉ se parece al lobo?

Las lobas y las perras tienen el mismo periodo de gestación. Ladran, gruñen y aúllan de la misma manera. El número de cromosomas que tienen es igual, y por eso padecen las mismas enfermedades.

Pero la gran diferencia es que el perro se puede domesticar fácilmente, mientras que es muy difícil hacerlo con un lobo.

Aunque pertenecen a los animales carnívoros, los perros pueden considerarse omnívoros, a pesar de que, sin duda, la carne sigue siendo la base de su dieta.

No des chocolate a un perro: ¡puede ser muy perjudicial para él!

¡Qué curioso!

• En 1944 una American Foxhound tuvo 24 cachorros, ¡el mayor número de crías nacidas!

• Los perros tienen unas 100 expresiones faciales, y realizan la mayor parte de ellas con las orejas.

• Los perros ven en color, pero no tan nítidamente como los humanos.

• Generalmente, la boca de un perro tiene menos bacterias y gérmenes que la boca de un humano.

• El olfato de los perros es de los más desarrollados de la naturaleza.

Los «papás» perro son muy rigurosos al educar a sus cachorros: si se portan mal, les ladran o les quitan la comida, y si hacen bien su labor, juegan con ellos, les limpian y les acarician.

El gato

Felino... ¿mimoso?

NOTAS

Hay muchas razas de gato doméstico en el mundo. Se dividen en dos grandes grupos: los de pelo largo y los de pelo corto. Sus uñas son retráctiles: puede meterlas y sacarlas a su antojo. Los ojos están muy bien adaptados a la oscuridad.

El gato fue domesticado hace más de 4.000 años.

✔ En general, los gatos descienden del gato montés.

¿DÓNDE vive?

Las distintas razas de gato doméstico se extienden por todo el mundo, allí donde haya seres humanos.

Aunque sus dueños les suministren comida de sobra, los gatos cazan por instinto, labor que ha sido muy apreciada a lo largo de los siglos, por salvaguardar los graneros.

Además, muchos gatos capturan animales como pájaros, saltamontes y ratoncillos para enseñárselos a sus dueños, como un regalo o trofeo.

¿POR QUÉ sigue cazando?

En el bigote poseen cerca de una docena de cerdas sensitivas denominadas «vibrisas» con las que detectan el movimiento.

Al igual que otros felinos, no pueden percibir el sabor dulce de los alimentos debido a la falta de un gen.

5

El caballo

Veloz y elegante

Es, sin duda, uno de los animales que más ha ayudado al hombre a lo largo de la historia. Son características las crines o matas de pelo que recorren la parte superior de su cuello, su elegancia al moverse y su hermosa cola de largas crines.

¿DÓNDE vive?

En sus diferentes variantes, el caballo habita por todo el mundo. Los verdaderamente salvajes, solo en Mongolia, en los montes Altai.

✓ ¿CÓMO duerme?

Un caballo adulto puede dormir de cuatro a catorce horas diarias. Sin embargo, no lo hacen de forma continuada, sino en bloques de media hora.

Los caballos pueden caer en un sueño ligero de pie, debido a que pueden bloquear la articulación de la babilla y no sostienen su peso con los músculos, como hacemos los humanos.

Su visión es muy buena, incluso de noche.

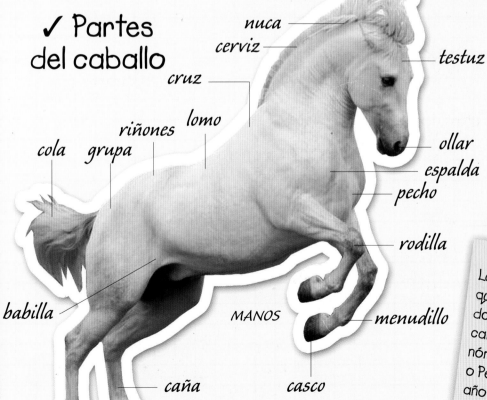

✓ ¡Qué curioso!

- El esqueleto del caballo se compone de un total de 205 huesos; de ellos, cada extremidad posee 20 y el cráneo cuenta con 34.

- Las extremidades del caballo han ido perdiendo dedos durante su evolución, pasando de tener cuatro a solo uno.

- Los caballos llegan a alcanzar fácilmente los treinta años de edad.

- El caballo, por carecer en su sistema nervioso del llamado «centro del vómito», no puede vomitar ni eructar.

En una manada, los caballos necesitan un líder, que por lo general suele ser una yegua adulta.

✓ Partes del caballo

crines

nuca

cerviz

testuz

cruz

lomo

riñones

cola

grupa

ollar

espalda

pecho

rodilla

babilla

MANOS

menudillo

caña

casco

PIES

Los aires son las diferentes formas de desplazarse de un caballo: el paso, el trote y el galope.

Las primeras referencias que se tienen sobre domesticación de caballos datan de tribus nómadas de Asia Central o Persia, sobre el año 3000 a.C.

El burro

Trabajador incansable

Pese a tener fama de torpe y terco, el burro es un animal notable: es capaz de reconocer a su amo y a otras personas. Además, gracias a su gran memoria, puede reconocer los caminos y senderos por los que solo ha pasado una vez.

¿DÓNDE vive?

Como es un animal domesticado, vive por todo el mundo, menos una variante de burro salvaje que solo habita en Etiopía.

También se le llama asno, jamelgo, rucio o borrico.

¿QUÉ es un mulo?

El caballo y el asno se han cruzado desde los tiempos más antiguos, y de ellos nacieron híbridos llamados mulos y burdéganos.

Mulos son los que han nacido de un asno y una yegua, y burdéganos los que proceden de un caballo y una burra: tanto unos como otros se parecen más a la madre que al padre y son estériles.

La gestación dura aproximadamente entre 200 días y un año. Nace una sola cría, llamada pollino o buche.

✓ **Burro en otros idiomas:**

- Alemán: esel
- Francés: âne
- Portugués: asno
- Inglés: donkey
- Italiano: asino
- Polaco: osiol

✓ El burro ha sido considerado por mucho tiempo símbolo de ignorancia; por ejemplo, en el famoso cuento de Pinocho, a los niños que no querían estudiar les salían unas enormes orejas de burro. Por si acaso... ¡no hagas tú lo mismo!

✓ **¡Qué curioso!**

- Los romanos pensaban que encontrarse con un asno era una señal de mala suerte.

- El burro distingue qué agua puede beber y cuál está contaminada.

- En la obra maestra de la literatura «El ingenioso hidalgo don Quijote de La Mancha», (Miguel de Cervantes, 1605) el asno del criado Sancho Panza se llama Rucio.

La vaca

Sagrada y generosa

NOTAS

La vaca es la hembra del toro, aunque la pareja haga vida independiente y cada uno sea «famoso» por labores diferentes. La vaca es conocida y querida, sobre todo, por la excelente leche que nos proporciona desde hace muchos siglos.

¿DÓNDE vive?

Es un animal muy extendido: podemos encontrar miembros del ganado bovino por todo el planeta.

¿PORQUÉ en India hay vacas por las calles?

En India es habitual ver a las enormes vacas vagabundear por las calles, mientras que la gente les tira flores, les da comida o las dejan pasar o tumbarse.

Allí las vacas son consideradas animales sagrados que hay que respetar y cuidar. Ah, y, por supuesto, no comen su carne.

10

La vaca permanece en estado de gestación durante unos diez meses. Tras este periodo nace una cría, aunque hay casos en los que pueden nacer dos pequeños terneros.

Términos usados para referirse al ganado bovino según sexo y edad:

- **Ternero o becerro**: Las crías mientras están en lactancia.

- **Choto**: En algunos países se refiere a los becerros. Este término también puede hacer referencia a la cría lactante de la cabra.

- **Añojo**: La cría cuando cumple un año.

- **Eral**: La cría de más de un año y menos de dos.

- **Novillo**: El macho, desde el destete hasta los tres años más o menos.

- **Novilla**: La hembra, desde el destete hasta la edad reproductiva.

- **Toro**: El macho después de los tres años.

- **Vaca**: La hembra en edad reproductiva.

- **Buey**: El toro o novillo castrado.

¡Qué curioso!

Pese a su gran tamaño, las vacas son animales relativamente ágiles, por eso no es extraño verlas trepar por rocas y montes empinados. Sus patas no tienen garras, sino que se apoyan sobre las uñas, convertidas en unas resistentes pezuñas.

La oveja

Leche y lana

NOTAS

Es un animal habitual en las granjas humanas, domesticado desde hace miles de años y muy útil: no solo es apreciada su carne, sino que da leche y, sobre todo, lana y cuero. El macho o carnero tiene unos cuernos en espiral que crecen de manera progresiva.

Es un animal gregario que suele estar dirigido por un líder o jefe.

¿DÓNDE vive?

Habita en casi todo el mundo, allí donde haya poblaciones humanas.

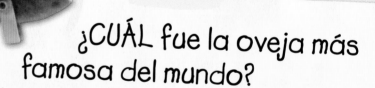

¿CUÁL fue la oveja más famosa del mundo?

La oveja más famosa del mundo fue la oveja Dolly, clonada en 1996 a partir de la célula adulta de otra oveja. Hasta ese momento, la clonación se había practicado con ranas, vacas y ovejas, pero a partir de células embrionarias, no de una célula adulta.

Desgraciadamente, Dolly tuvo que ser sacrificada debido una dolencia incurable de origen desconocido.

La lana o vellón es una fibra suave y rizada que no es pelo, sino una capa intermedia entre pelo y piel. Esta fibra fina y elástica puede estirarse hasta la mitad de su longitud sin romperse.

Es un rumiante y sus crías se llaman corderos.

Descienden del muflón u oveja salvaje («Ovis musimon»). Hay más de 800 razas de ovejas domésticas, adaptadas a diversos hábitats, desde climas fríos a muy calurosos, y desde el trópico a los desiertos.

Según un estudio publicado por la Universidad de Greshman de Londres, las ovejas pueden distinguir entre las diferentes expresiones de otros animales y detectar los cambios en los rostros.

También parece ser que pueden reconocer y distinguir entre al menos 50 individuos diferentes y recordar acontecimientos e imágenes durante unos dos años.

¡Qué curioso!

Aunque parezca increíble, en la antigua Roma «recibir una ovación» no era precisamente un orgullo. Cuando un general vencía en la guerra y lograba eliminar a 5.000 o más enemigos, al volver se le recibía triunfalmente, con fiestas y desfiles.

Pero si no llegaba a matar a esos 5.000 enemigos, solo se sacrificaba en su honor una oveja (en latín, «ovis»), es decir, se celebraba una «ovatio», de donde viene la palabra 'ovación' en español.

13

La cabra

Leche y lana

NOTAS

Parece ser que la cabra fue domesticada hace más de 10.000 años, aunque su carácter es más arisco que el de otros bóvidos. Es apreciada por su espesa leche, más nutritiva que la de vacas y ovejas. Tanto machos como hembras tienen cuernos.

Los machos son mucho más grandes que las hembras.

¿DÓNDE vive?

Vive en zonas montañosas de cualquier parte del mundo, aunque algunas cabras salvajes solo habitan en Asia, Europa y América.

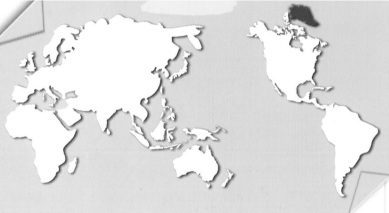

¿POR QUÉ no se caen de las rocas?

Porque sus patas están preparadas para la escalada: las pezuñas tienen dos dedos que pueden separarse o juntarse, aumentando o disminuyendo la superficie de contacto con el suelo.

Estos dos dedos están formados de una plantilla blanda y elástica que hace un efecto ventosa que les permite sujetarse en terrenos rocosos.

Los grupos de machos viven separados de los grupos de hembras y sus crías. Cuando los carnerillos crecen, sus madres les expulsan del rebaño para que se marchen con los machos.

¡Qué curioso!

La mayoría de los artiodáctilos, orden a la que pertenece la cabra, son vegetarianos y no tienen caninos con los que atacar o defenderse.

En su lugar, han desarrollado unas estructuras óseas en la cabeza, los cuernos, que pueden ser persistentes (astas o cuernos verdaderos) o caedizos (cuernas), en este caso renovándose cada año. Una excepción sería el jabalí, dotado de poderosos colmillos y sin cuernos en la cabeza.

El cerdo

Gordito e inteligente

NOTAS

Este animal que nos es tan familiar pertenece al orden de los artiodáctilos, es decir, animales que tienen un número par de dedos (dos o cuatro) cubiertos por una capa córnea dura llamada pezuña. Su vista no es buena, pero tiene un olfato excelente.

¿DÓNDE vive?

Podemos encontrar cerdos en casi todo el planeta, pues actualmente se crían en granjas especializadas a lo largo y ancho de la Tierra.

¡Qué curioso!

Es uno de los animales con más denominaciones, debido precisamente a que se extiende por todo el planeta. Al cerdo se le llama también cochino, marrano, puerco, chancho, gorrino, verraco, etc. Además, también es famoso por sus muchos aprovechamientos: se come su carne de diversas maneras (jamón, chorizo, salchichas, costillas...), con su piel se obtiene un cuero fino y con sus pelos o cerdas se fabrican cepillos, brochas y pinceles.

¿POR QUÉ tienen fama de sucios?

A pesar de esta fama, es uno de los animales más limpios de la granja. Los cerdos y jabalíes son los únicos mamíferos que no tienen glándulas sudoríparas. Como no sudan, optan por mojarse con frecuencia o, cuando no disponen de agua, por revolcarse en el barro.

Así consiguen refrescarse cuando hace calor y evitar que el sol les irrite la piel, así como eliminar parásitos y otros agentes infecciosos.

Muchos expertos siguen clasificando al cerdo como «Sus scrofa» o jabalí, pues el cerdo no es otra cosa que el jabalí domesticado desde hace más de 5.000 años y distribuido por todo el mundo.

La gallina
Un ave que no vuela

NOTAS

La gallina es la hembra del gallo. Es un ave de corral criada por su carne y por sus huevos. Se distingue del macho por ser de menor tamaño, tener la cresta más corta y carecer de espolones (una especie de gancho o uña que le sale a los gallos en los talones).

Ni las gallinas salvajes ni las domésticas son capaces de volar.

¿DÓNDE vive?

La gallina es el ave doméstica más extendida. Donde habiten seres humanos, allí podremos encontrarla.

¿POR QUÉ hay huevos oscuros y huevos blancos?

El tono de la cáscara de los huevos depende del tipo de gallina que los haya puesto, de su raza y especie.

Algunos famosos cocineros aseguran preferir huevos marrones o rojizos para cocinar tortillas y huevos blancos para la repostería, pero no hay ninguna razón científica para establecer diferentes características a cada color.

Gallos y gallinas son ovíparos, es decir, nacen de un huevo que la gallina pone e incuba con su cuerpo durante 21 días más o menos. Después nace un pollo de cada huevo, rompiendo la cáscara con su piquito.

¡Qué curioso!

El gallo produce un sonido llamado canto que concentra en ciertos periodos del día: al amanecer, al mediodía, a la mediatarde, y a mitad de la noche. Sirve como desafío territorial a otros gallos, para atraer a las hembras y como señal de aviso.

Pero también emite otro sonido, parecido al de la gallina, llamado cacareo. Este sonido lo produce cuando quiere fecundar a alguna hembra, o cuando ha encontrado comida, para llamar al resto de su familia.

El conejo
Familia numerosa

El conejo tiene un pelaje espeso y lanudo, de colores que varían desde pardo pálido a gris sobre el dorso y blanquecino en su vientre. Su cabeza es redonda y sus ojos grandes, marrones o rojizos. Se caracteriza por sus largas orejas y el movimiento del hocico.

El conejo es vegetariano, y ¡es muy rápido comiendo!

¿DÓNDE vive?

Vive en bosques bajos, parques, montes de matorral y encinas, con terreno blando para poder excavar. Aunque viene de Europa, se ha extendido por todo el mundo.

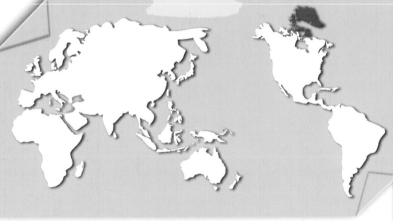

¿POR QUÉ se comen sus heces?

Aunque parezca un poco repugnante, los conejos comen sus propios excrementos durante la noche. Así pueden aprovechar mejor lo comido y nutrirse con las sustancias que han producido las bacterias de los intestinos. Sus heces les sirven también para marcar su territorio. Son muy característicos los cagarruteros del conejo, donde acumulan los excrementos de varios ejemplares de una misma colonia en grandes depósitos.

El conejo tiene un gran sentido del olfato, y sus fosas nasales son muy sensibles, por lo que mueve continuamente el hocico.

Las orejas del conejo son más cortas que las de la liebre. Una forma fácil de distinguir al conejo de la liebre, es ponerle las orejas hacia delante: si es un conejo, no sobrepasan el hocico.

¿CÓMO vive?

Para parir, los conejos hacen una especie de cueva subterránea de hasta 40 m de longitud a una profundidad de medio metro del suelo y que cuenta con varias entradas. La hembra tiene tres o cuatro embarazos al año, con unas cinco crías en cada uno. Durante casi un mes, los conejitos se alimentan de la leche materna, pero luego abandonan la madriguera.

Después, los conejos viven en grupos, en unas galerías o cuevas subterráneas, llamadas conejeras.

21

El pato
Excelente flotador

NOTAS

Los patos pertenecen al orden de los anseriformes y se caracterizan por tener patas cortas con los dedos unidos por una membrana y un pico plano. Los machos suelen tener un plumaje muy vistoso, mientras que las hembras son de tonalidades más apagadas.

¡Puede llegar a volar a 95 km/h!

¿DÓNDE vive?

Podemos encontrar patos en casi todo el mundo. Viven en zonas acuáticas, prefiriendo la mayoría agua dulce, aunque también hay patos exclusivamente marinos.

¿POR QUÉ son torpes andando?

Aunque en el agua son excelentes nadadores, en tierra tienen un característico andar torpe. Esto se debe a que las patas están muy separadas y situadas en la parte trasera del cuerpo, por lo que caminan con dificultad. Pero es esta forma de su cuerpo lo que les permite utilizar sus patas como un motor para propulsarse.

El «vegavis», el primer anseriforme conocido, vivió en el periodo Cretácico (hace 145 millones de años).

¿Sabías que los patos tienen párpados? Pues sí, y no solamente uno, sino tres... ¡en cada ojo!

¡QUÉ curioso!

Los patos recorren grandes distancias todos los años, lo que se conoce como «migraciones». Únicamente algunos patos han perdido la capacidad de volar y permanecen toda su vida en el mismo lugar. Pero algunas especies viajan desde Norteamérica hasta Argentina, por ejemplo.

¿ES CIERTO...

... que el graznido del pato no produce eco?

Hasta hace poco se creía que el graznido del pato era el único sonido que no producía eco. Para comprobarlo, los científicos de una universidad inglesa grabaron el sonido de un pato y comprobaron que las vibraciones que emitía el ave sí producen eco, aunque casi imperceptible.

La creencia errónea ha podido surgir porque los patos no graznan en superficies que reflejan el sonido, sino siempre en áreas abiertas.

El pavo real

El más vistoso guardián

NOTAS

Los machos de esta especie son conocidos por la bellísima cola que despliegan. El color de los machos es azul, verde y turquesa, con reflejos dorados. Las hembras son de color pardo ceniciento. Existen también curiosos ejemplares albinos, con las plumas blancas.

La cola del pavo real puede medir hasta 1'5 m.

¿DÓNDE vive?

Su hábitat natural se sitúa en el sur de Asia y norte de Oceanía. La única especie que habita de forma natural fuera de Asia es el pavo real africano del Congo.

¿CÓMO se reproducen?

Los pavos, fuera de la época de celo, viven en pequeños grupos. Para cortejar a la hembra, el macho abre su cola como un abanico y emite un canto característico. Cada macho se aparea con cuatro o cinco hembras. Cada pava pone no más de cinco huevos entre la hierba. Permanece cerca de un mes incubando hasta que nacen los polluelos, con una pequeña cresta de plumas en la cabeza, mientras que el macho no participa en el cuidado de los huevos.

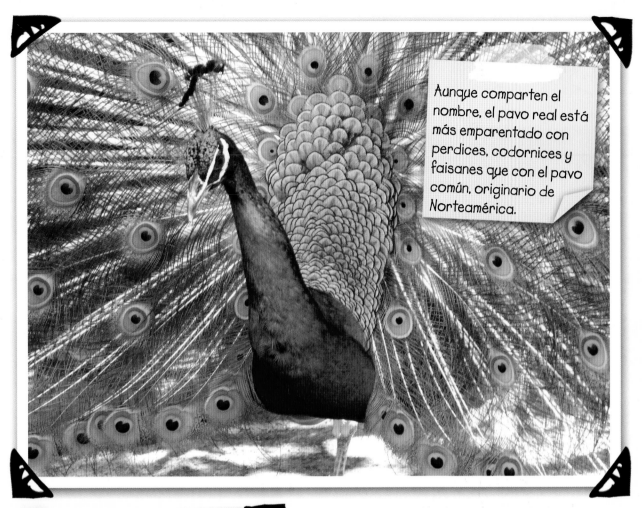

Aunque comparten el nombre, el pavo real está más emparentado con perdices, codornices y faisanes que con el pavo común, originario de Norteamérica.

¡QUÉ curioso!

En la India, el pavo real es un ave a la que se tiene una gran admiración y respeto. Ello se debe a que es muy útil para el hombre, pues se alimenta de serpientes peligrosas, y a que es una eficaz alarma, pues detecta la presencia de extraños emitiendo sus inconfundibles graznidos.

¿POR QUÉ tiene esa gran cola?

Lo cierto es que no es una cola como tal, sino 150 plumas muy alargadas que crecen sobre el dorso de su cuerpo. La cola en realidad está compuesta por plumas mucho más pequeñas. Cuando el pavo corteja a las hembras, despliega esta gran «cola». Es lo que se conoce como pavonearse. Han de hacerlo así, pues las pavas eligen al macho que les resulta más llamativo.

El avestruz

El ave más grande

Estas aves han perdido su capacidad de volar, pero en cambio se han sabido adaptar perfectamente a la vida terrestre, donde son muy veloces corriendo: llegan a alcanzar los 50 km/h y pueden mantener esa velocidad en grandes distancias.

El macho puede pesar más de 130 k.

¿DÓNDE vive?

Vive en amplios terrenos, como zonas semidesérticas y sabanas, en el continente africano. En su hábitat natural, esta especie se ve amenazada por el hombre.

¿CÓMO se reproduce?

Los avestruces no tienen órgano vocal ni un aparato fonador desarrollado, como otras aves. No pueden realizar complejos cortejos sonoros, sino que en la época de celo «seducen» a las hembras extendiendo sus magníficas alas e hinchando el cuello, moviéndolo hasta que la hembra agacha la cabeza y acepta a su pretendiente.

¡QUÉ curioso!

El avestruz es un animal muy peculiar. Sus huevos son la célula más grande del mundo, y pueden llegar a pesar hasta un kilo. Es el único ave con dos dedos. Al parecer, el tamaño de sus ojos es mayor que el de su cerebro. En algunos ejemplares se ha observado que ante un peligro esconden la cabeza en el suelo, entre los arbustos o simplemente entre las plumas de sus alas.

Es una costumbre difícil de comprender conociendo su gran velocidad, pero tampoco tiene mucho cerebro para pensarlo, ¿no?

¡Un huevo de avestruz equivale aproximadamente a 24 de una gallina!

El camello

Las dos jorobas

NOTAS

La característica más conocida de los camellos es que tienen dos jorobas o gibas, mientras que sus parientes los dromedarios solo tienen una. Siempre han sido aliados de los hombres del desierto, pues aguantan las temperaturas extremas con mucha resignación.

¿DÓNDE vive?

En estado salvaje, solo quedan ejemplares en Mongolia. Domesticados, hay camellos en el norte de África y Oriente Medio.

✓ ¿PARA QUÉ sirven las jorobas?

En las jorobas los camellos almacenan grasa para poder nutrirse en los tiempos de más escasez. Cuando tienen abundante alimento, almacenan la energía que les sobra en sus jorobas, en forma de grasa. Por eso tienen esa peculiar figura cónica.

Cuando un camello lleva mucho tiempo sin alimentarse, la joroba pierde su volumen y llega a colgar por completo sobre su lomo, hasta que pueda comer otra vez y vuelve a recuperar poco a poco su volumen máximo.

El camello puede estar hasta 10 días sin beber agua, pero cuando la encuentra puede beberse... ¡106 litros de una sola vez!

✓ ¿POR QUÉ se dice...

«Pasar un camello por el ojo de una aguja»?

En el Nuevo Testamento, en el Libro de San Mateo, se lee: «Es más fácil que un camello pase por el ojo de una aguja, que un rico entre en el Reino de los Cielos». San Jerónimo, al traducir el texto del griego, interpretó la palabra 'kamelos' como camello, cuando en realidad su significado es una soga gruesa con la que se amarran los barcos a los muelles.

El sentido de la frase es el mismo, pero... ¿cuál te parece más coherente?

Diferencias entre el camello y el dromedario:

• El camello tiene dos jorobas, y el dromedario solo una.

• Los dromedarios son más altos y más rápidos que los camellos.

• El dromedario tiene mucho peor carácter que su primo el camello.

El canguro
Todo en la bolsa

NOTAS

El canguro es un bípedo con las patas delanteras cortas comparadas con las poderosas patas traseras; tiene una cola grande, gruesa y musculosa. La hembra posee una bolsa marsupial en el vientre para poder alimentar a sus crías, que nacen en un estado de desarrollo muy primitivo.

Los canguros viven en grupos de unos 10 individuos.

✓ ¿DÓNDE vive?

Los canguros habitan en Australia. Concretamente, el canguro rojo lo hace en la zona centro.

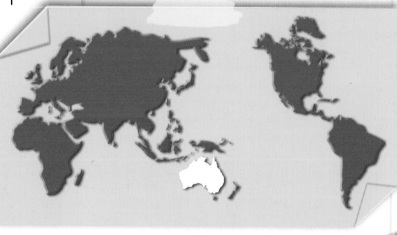

¿POR QUÉ tiene bolsa?

Las crías de canguro, así como las de koala y otros marsupiales, nacen tras un corto periodo de estancia en el útero materno. Cuando aún son embriones, van desde el útero a la bolsa o marsupio que su madre tiene en el vientre. Allí se agarran al pezón del que van a recibir alimento hasta que se independizan.

Al pastar, el canguro se desplaza lentamente, rozando el suelo con sus patas delanteras y descansando el peso del cuerpo sobre la cola.

Existen 47 especies diferentes de canguros; el más pequeño, el wallabí, pesa menos de un kilo, mientras que el canguro rojo llega a alcanzar 1,80 m de altura y 150 k de peso.

¡QUÉ curioso!

Cuando salta, el canguro puede superar los 3,30 m de altura y los 9 m de longitud; pero solo lo logra cuando huye y se encuentra en terreno abierto. Cuando se dirige a un manantial o quiere establecer contacto con un congénere, sus saltos no sobrepasan los 1,90 m de longitud.

Con este avance, única y exclusivamente bípedo (con las patas traseras), da la impresión de que salta como movido por un resorte, y puede alcanzar los 20 km/h. Pero si se siente amenazado, el animal se lanza a una velocidad superior.

El loro
El más charlatán

Con el nombre de «loro» denominamos a un amplio grupo de aves que incluyen cacatúas, periquitos, guacamayos, etc. Se caracterizan por los vistosos colores de sus plumas y por su pico duro y curvado. Algunas de estas especies son capaces de imitar la voz humana.

El loro común puede vivir de 25 a 30 años.

¿DÓNDE vive?

Habita en el hemisferio sur, en selvas, bosques tropicales, zonas semidesérticas y zonas montañosas. En estado salvaje encontramos en Centroamérica y América del Sur, Oceanía, Asia y África.

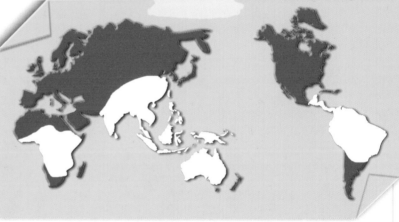

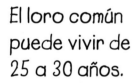

¡QUÉ curioso!

Los loros tienen fama de hablar, pero en realidad no hablan, sino que imitan la voz humana. Es curioso que, en estado salvaje, no imitan las voces de otros animales. Esta capacidad ha hecho que los loros hayan sido durante siglos, y también en la actualidad, muy reclamados como animales de compañía.

En algunas especies su caza indiscriminada ha llevado a su extinción.

Viven en pequeños grupos familiares, pero en el momento de anidar, se separan en parejas para poner los huevos en un árbol.

¿POR QUÉ son tan torpes andando?

Cuando caminan por el suelo, los loros se tambalean y tienen un caminar impreciso. Esto les ocurre por la disposición de los dedos de sus patas: dos dedos hacia delante y dos hacia atrás. Pero estas patas, sin embargo, permiten a las loros ser excelentes trepadores y pasar largos periodos firmemente aferrados a las ramas de los árboles que utilizan para vivir y reunirse.

También utilizan a menudo el pico a modo de garfio para desplazarse entre las ramas.

Para los hindúes, el loro es un animal sagrado y su caza está prohibida.

El ciervo

Venado majestuoso

NOTAS

Este bello animal se caracteriza por tener el macho unas cuernas ramificadas que caen y crecen todos los años. Suelen vivir en tranquilos bosques de pinos, abetos y otras coníferas y, aunque a veces salen a las estepas y praderas, suelen habitar en zonas montañosas.

¿DÓNDE vive?

América del Norte, Europa, Asia central y septentrional y norte de África. Ha sido introducido en América del Sur y Nueva Zelanda.

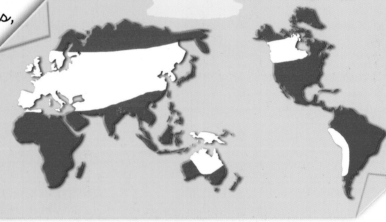

¡QUÉ curioso!

Las astas están formadas por hueso muerto, y solo las desarrollan los machos adultos. Las utilizan durante la época de apareamiento, cuando compiten por las hembras.

Las astas se forman a partir de dos protuberancias del cráneo; mientras están en crecimiento y se van ramificando, las recubre un terciopelo que cae cuando la cornamenta queda completa.

La gestación de la hembra dura 34 semanas. Suele nacer solo una cría, aunque a veces se producen partos de dos.

¿CÓMO viven?

En los bosques se reúnen en rebaños diferentes, por un lado las hembras y sus cervatillos y por otro, los machos. Los machos mayores suelen vivir solos. Los rebaños de las hembras son regentados por una anciana cierva, que marca lo que han de hacer las demás.

En la época de celo se produce la «berrea»: como machos y hembras viven separados, los machos lanzan potentes bramidos para que las hembras sepan dónde están.

La mayoría de los ciervos tiene una glándula cerca del ojo que contiene feromona, una sustancia que utilizan para marcar su territorio ante la presencia de otros machos.

La ardilla

«La plantadora de árboles»

NOTAS

Son grandes equilibristas y acróbatas, gracias a que pasan la mayor parte de su vida saltando de árbol en árbol. Son animales muy sociables: no es raro que en algún parque o bosque se acerquen a nosotros si creen que vamos a darles alimento o por simple curiosidad.

¿DÓNDE vive?

Vive en los bosques, aunque no es raro verla en parques y jardines. Desde América, Europa, Asia y África, podemos encontrar ardillas por todo el mundo excepto en Australia.

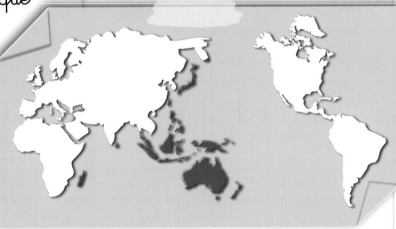

Las ardillas pertenecen al orden de los roedores.

¡QUÉ curioso!

Hay un tipo de ardillas, las voladoras («Pteromys volans»), con un pliegue de piel entre las patas de delante y las de atrás que, cuando salta de árbol en árbol, se extiende como si fuese un planeador o paracaídas. De esta manera puede volar o planear hasta 35-40 m. Además, su gran cola funciona como un timón que les sirve para controlar el vuelo.

Su costumbre de enterrar frutos secos para su posterior ingestión contribuye al nacimiento de nuevos árboles.

La ardilla entierra en el suelo frutos otoñales a modo de despensa para consumirlos posteriormente cuando escasean los alimentos. Muchas de estas semillas no las localiza o quedan olvidadas, posibilitando que de ellas nazca un nuevo árbol. De aquí que la ardilla haya sido llamada «la plantadora de árboles».

¿CÓMO viven y se reproducen?

La gestación dura un mes. Nacen cuatro o cinco crías, sin apenas pelo y ciegas. Maman de las dos glándulas mamarias que tiene la madre.

A pesar de su gusto por las alturas, viven en madrigueras poco profundas excavadas en forma de túnel sin ramificaciones, al final del cual está la cámara en donde vive. La entrada suele estar disimulada entre las raíces de los árboles, las hojas del suelo, etc.

El topo

Corto de vista

La mayoría de los topos se caracterizan por ser animales subterráneos. Este hecho ha propiciado que los topos excavadores hayan desarrollado una serie de especializaciones evolutivas para su vida subterránea, como la forma de su cuerpo o sus largas uñas.

Los topos son omnívoros (principalmente insectívoros) muy voraces; se alimentan sobre todo de lombrices de tierra, larvas de insectos, raíces y tubérculos.

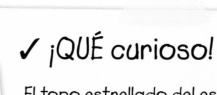

¿DÓNDE vive?

Vive en toda Europa excepto en Islandia. También en América.

✓ ¡QUÉ curioso!

El topo estrellado del este de Norteamérica posee en el hocico unos bigotes o vibrisas que tienen forma estrellada y que utiliza como órgano sensorial.

Gracias a estos sensibles bigotes, el animal detecta los campos eléctricos producidos por las lombrices de tierra.

38

Sus patas, cortas y robustas, están provistas de fuertes y grandes uñas que utilizan para escarbar galerías.

¡Qué uñas más largas!

✓ ¿POR QUÉ están ciegos?

Gran parte de los topos o están ciegos o tienen un campo de visión muy limitado. Esto se debe sobre todo a su costumbre de vivir bajo tierra, donde no hay luz, por lo que se han acostumbrado a no depender de su vista para sobrevivir, sino que tienen otros sentidos más desarrollados. Tanto es así que los ojos están cubiertos por piel semitransparente.

¿QUÉ son las toperas?

Los topos tienen las patas delanteras y traseras especializadas para excavar. Son animales que pasan su vida bajo tierra o, de no ser subterráneos, tienen la costumbre de excavar madrigueras compuestas de un complicado sistema de túneles y galerías. Al sacar la tierra sobrante de los túneles, forman unos montones de ella conocidos como toperas.

El erizo

«Pelo pincho»

NOTAS

Este tímido animal sabe defenderse muy bien. La fuerte musculatura y el no tener cuello, permiten a este insectívoro doblarse y enrollarse sobre sí mismo como una bola, para protegerse. Si antes no son atropellados en la carretera, pueden llegar a vivir diez años.

¿DÓNDE vive?

El erizo habita en Europa, Asia, África y ha sido introducido en Nueva Zelanda. No hay erizos nativos en Oceanía ni en Norteamérica.

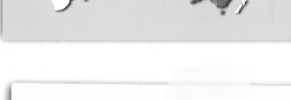

Los erizos no han cambiado mucho de aspecto durante los últimos 15 millones de años.

¡QUÉ curioso!

El erizo hiberna en las estaciones frías. Tras darse un «atracón» para tener reservas, se esconde en su refugio, hecho una bola compacta, y su temperatura baja hasta los 5 °C. Cuando sube la temperatura se despierta; por eso son perjudiciales para él los inviernos calurosos que le hacen despabilarse antes de tiempo.

Cuando se ven amenazados, los erizos son capaces de enrollarse sobre sí mismos, formando una bola de púas. La efectividad de esta habilidad depende del número de púas que posean, aunque algunos prefieren salir huyendo ante el ataque de un enemigo.

¿QUÉ son las púas?

Físicamente los erizos destacan por sus púas o espinas, que son pelos huecos rellenos de queratina para darles rigidez.

Estas espinas ni son venenosas ni están afiladas, como en el caso del puerco espín, y, al contrario que este, no se desprenden con facilidad. Sin embargo, los jóvenes sí pierden las púas cuando las reemplazan por las de adulto durante el primer año de vida.

La lagartija
Rápida y solariega

NOTAS

Podemos encontrar ejemplares de estos divertidos animales en paredes y tapias de piedra soleadas, en cuyos huecos suelen desaparecer a la menor señal de peligro. También son habituales en encinares, dehesas, pinares, robledales y zonas áridas.

¿DÓNDE vive?

Las especies europeas viven en bosques y matorrales; las de Asia, en praderas y desiertos, y las de África, en zonas áridas y rocosas.

Tienen escamas a modo de armadura y su cola, en muchos ejemplares, es anillada.

¿QUÉ es la autotomía?

Es un conocido mecanismo de autodefensa: en situaciones de peligro las lagartijas pierden la cola para que el depredador se distraiga con estos movimientos y así poder escapar.

Esta cola vuelve a crecer, así que a la lagartija no le importa perder el rabo si con ello salva la vida.

Las lagartijas son animales insectívoros: suelen buscar su alimento diario entre la arena, las rocas y la hojarasca.

¡QUÉ curioso!

Para evitar la pérdida de agua, la piel de los reptiles está cubierta de escamas que les dan un variado colorido. En las lagartijas estos colores varían del pardo, grisáceo u oliva con manchas a las líneas entrecortadas oscuras, blancas o amarillas. Habitualmente, la parte inferior o vientre es de tonos claros.

Los machos en celo suelen presentar en los costados líneas verdosas y anaranjadas. En algunas zonas y durante esa época, se observa también en las cabezas de las hembras un color amarillento.

Las lagartijas no son capaces de regular su temperatura interna, por eso alternan periodos de exposición al sol con periodos a la sombra. Por ello también en invierno permanecen aletargadas y escondidas.

El caracol

Saca los cuernos al sol...

NOTAS

Suele ocultarse en la concha que habita expulsando todo el aire de sus pulmones. Los caracoles forman sus conchas con calcio, en forma de espiral. A medida que crece el animal, lo hace su caparazón.

¿DÓNDE vive?

Se extiende por toda la superficie terrestre, aunque apenas se encuentra en los polos.

¿PARA QUÉ tiene concha?

El caparazón o concha de los caracoles les sirve como protección contra sus posibles depredadores. También es utilizada para evitar la desecación de su piel, que ha de estar siempre húmeda. La concha de la mayoría de los caracoles terrestres se arrolla casi siempre en el mismo sentido que las agujas del reloj, aunque en algunas especies lo hace en sentido contrario.

Además de la concha, el caracol segrega una mucosidad o baba para permanecer húmedo. Es el rastro plateado que se percibe tras el paso de este gasterópodo.

Los caracoles son hermafroditas, es decir, cada ejemplar es macho y hembra, pero deben aparearse con otro para fertilizarse.

En su cabeza se pueden distinguir cuatro tentáculos. Situados en la parte alta están los dos tentáculos más largos, en cuyos extremos normalmente están los ojos. Los otros dos, más cortos y situados en contacto con el suelo, cumplen funciones sensitivas táctiles.

¡QUÉ curioso!

Los caracoles hibernan durante el invierno; pero también pueden detener su actividad en verano, lo que se conoce como estivación.

Cuando las condiciones del medio en el que vive no son adecuadas, se refugian en su concha y cierran la boca o estoma de su caparazón por medio de una membrana que se llama epifragma. Dentro permanecen aislados del exterior, inactivos, hasta que la temperatura y la humedad del ambiente vuelvan a ser de su agrado.

La mariposa

Metamorfosis completa

NOTAS

Las mariposas son muy conocidas y admiradas por la vistosidad de sus alas. Debido a su alimentación a base de polen y néctar, su función es muy importante, porque llevan este polen de unas flores a otras para germinarlas.

Hay mariposas diurnas, con alas de colores, y mariposas nocturnas o polillas, no tan vistosas.

¿DÓNDE vive?

Vive en lugares con vegetación, a lo largo y ancho del mundo, excepto en las zonas donde nunca deshiela.

¿POR QUÉ tienen alas de colores?

Los brillantes colores de las alas de las mariposas son muy útiles para camuflarse entre las flores o para asustar a los depredadores, pues, en algunas, los dibujos parecen los ojos de un gran animal.

Algunas mariposas resultan venenosas para sus depredadores, lo cual es aprovechado por sus congéneres para imitar los colores y no ser capturadas.

Se conocen más de 155.000 especies de mariposas; esto hace que sean el grupo más numeroso después de los escarabajos.

Las mariposas tienen cuatro alas recubiertas de pequeñas escamas que parecen un fino polvillo y que les dan color.

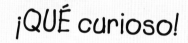

¡QUÉ curioso!

Algunos animales, entre ellos la mariposa, experimentan una serie de cambios consecutivos durante su desarrollo. Este fenómeno se conoce como metamorfosis. No solo cambia la forma del insecto, sino también su manera de vivir.

Es conocido el caso del gusano de seda que pasa por varias etapas hasta llegar a mariposa: huevo, larva o gusano, crisálida o capullo y, por último, mariposa.

La abeja
Trabajadora y productiva

NOTAS

Familia de avispas y hormigas, la abeja suministra productos muy apreciados: miel, cera, propóleo, jalea real, etc. También es el principal insecto polinizador, es decir, que transporta el polen de una flor a otra.

¿DÓNDE vive?

Hay abejas en los climas templados, allí donde haya abundancia de flores.

Hay abejas que llegan a alcanzar 4 cm de longitud.

¿POR QUÉ pican con su aguijón?

Las abejas hembra tienen un aguijón recto con pequeños dientes o ganchos microscópicos en la punta. Si se sienten amenazadas, clavan este aguijón en su víctima y la abeja se desgarra el abdomen al separarse de él, lo que provoca su muerte al poco tiempo.

Su picadura no solo es muy dolorosa, sino que además ciertas personas alérgicas a las abejas pueden morir de un solo picotazo.

Las abejas se alimentan de polen, néctar y otros líquidos que extraen de las flores.

¿CÓMO se elige a la reina?

En cada intercambio entre abejas, circulan sustancias químicas que regulan las clases sociales dentro de la colmena: si ya hay una reina ponedora, no se producen otras reinas, pero si muere, las obreras alimentan a una larva con jalea real, que es lo único que comerá la reina durante toda su vida.

Pero pese a la creencia común, la mayoría de las abejas son solitarias, y son pocas las que forman colmenas o colonias con una reina.

Las colmenas o colonias están formadas por una reina, varias trabajadoras y zánganos o machos reproductores.

49

La mosca

Un insecto necesario

NOTAS

Este insecto es un acompañante habitual en las poblaciones humanas. Muy parecida a ella es la mosca de los establos («Stomoxys calcitrans»). Estas especies, junto con otras mucho más peligrosas, como la mosca tsé-tsé, componen un grupo de más de 100.000 especies.

Una mosca puede vivir unos 15 días.

¿DÓNDE vive?

Vive en todo el planeta, incluso en los polos, pero su número aumenta en zonas húmedas y tropicales.

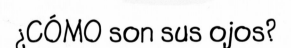

¿CÓMO son sus ojos?

Los ojos que tienen las moscas no se parecen en casi nada a los nuestros. Al igual que la mayoría de insectos, son ojos compuestos por más de 4.000 facetas o divisiones: la visión se multiplica formando algo así como un mosaico.

En realidad no captan verdaderas imágenes, sino movimientos y cambios de luz.

Al contrario que otros insectos, las moscas solo tienen un par de alas, pero esto les permite hacer vuelos mucho más rápidos.

Las moscas se alimentan de fluidos (néctar, sangre...) que absorben a través de una minúscula trompa o probóscide.

¿POR QUÉ son peligrosas?

Las moscas, además de arruinar cultivos y ser muy molestas, son capaces de transmitir al hombre enfermedades muy graves: disentería, enfermedad del sueño, cólera, fiebre tifoidea...

A través de la contaminación de los alimentos con virus y bacterias que llevan en sus patas o que vomitan, las moscas causan estragos. Por eso es tan importante lavar frutas y verduras y no dejar los alimentos expuestos a su contacto.

Estos insectos perciben el sabor de los alimentos gracias a las células gustativas de los pelitos que cubren su cuerpo, y que tienen no solo en la boca, sino también en las patas. Estos pelitos les permiten saborear, oler y sentir. Las moscas saborean lo que pisan. Si pisan algo que les parece sabroso, bajan la boca y lo vuelven a probar.

El mosquito

Pequeño pero molesto

NOTAS

Los mosquitos son insectos voladores de cuerpo pequeño y delgado y largas patas. La mayoría de las hembras mosquito tienen una trompa minúscula o probóscide con la que penetran en la piel de los mamíferos, incluido el hombre, para alimentarse.

¿DÓNDE vive?

Encontramos mosquitos en todo el planeta.

¡QUÉ curioso!

Cuando vuela emite un zumbido perfectamente audible por el oído humano.

Machos y hembras se distinguen porque ellos no están preparados para extraer sangre. Al igual que otros insectos, machos y hembras tiene un ciclo de cuatro fases desde que nacen hasta que se convierten en adultos: huevo, larva, pupa o crisálida y adulto. Este ciclo dura de 4 a 20 días, dependiendo de la temperatura: si es calurosa, se acelera el proceso, retardándose si hace más frío.

El mosquito común que suele picarnos durante el buen tiempo no es transmisor de enfermedades graves.

¿POR QUÉ son peligrosos?

Además de la molestia que ocasiona su picadura, algunos mosquitos son transmisores de enfermedades muy peligrosas a través de su picadura. Enfermedades como el paludismo, el dengue, la fiebre amarilla... son contagiadas por estos pequeños insectos. Entre las moscas y ellos se reparten el contagio de un gran número de enfermedades, sobre todo en zonas tropicales.

Partes del mosquito

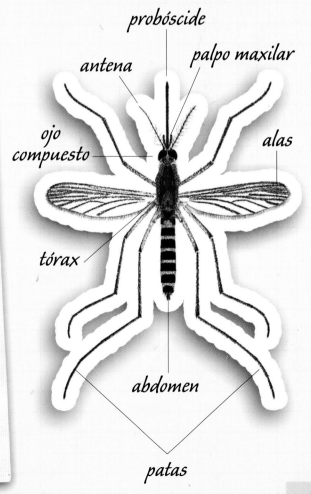

probóscide

palpo maxilar

antena

ojo compuesto

alas

tórax

abdomen

patas

La hormiga

Trabajadora incansable

NOTAS

Las hormigas son uno de los ejemplos más claros del mundo animal en los que observar la conducta social.
Una reina domina el hormiguero, pero cada una tiene establecida su función, sin la cual la comunidad no podría sobrevivir.

¿DÓNDE vive?

Existen hormigas en todo el planeta, salvo en las zonas donde las nieves y los hielos son perpetuos.

Una hormiga obrera puede levantar hasta 30 veces el volumen de su cuerpo y hasta 50 veces su peso.

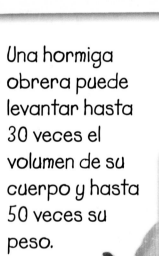

¡QUÉ curioso!

En el hormiguero encontramos reinas, machos y obreras. Las reinas solo se dedican a poner huevos, de los que saldrán las futuras hormigas. Los machos se dedican a fecundar reinas. Las obreras son hembras sin alas. Dentro del grupo de las obreras hay dos clases: las que recolectan alimentos y las que defienden el hormiguero.

Se ha comprobado que el animal con el cerebro más grande en proporción a su talla es la hormiga.

Las hormigas tienen una relación de simbiosis o colaboración con los pulgones. Estos animales ofrecen a las hormigas un jugo azucarado que expulsan por el abdomen. A cambio, las hormigas les protegen de sus enemigos.

¿CÓMO viven?

Las hormigas viven en colonias u hormigueros. Lo común es que estén construidos por medio de galerías subterráneas, fácilmente reconocibles por el montón cónico de tierra que hay en su entrada. Hay también hormigueros en los árboles, galerías construidas dentro de viejos troncos.

Algunas hormigas no construyen los laboriosos hormigueros, sino que asaltan alguno, matan a la reina y esclavizan a sus ocupantes.

El escarabajo

Los más numerosos

Algunos escarabajos son acuáticos, pero la mayoría son terrestres. Casi todos comparten la característica de tener unas alas endurecidas, llamadas élitros, que cubren todo o parte de su dorso, así como unas potentes mandíbulas para morder y triturar los alimentos.

¿DÓNDE vive?

Podemos afirmar que están distribuidos por todo el planeta.

¿QUÉ son los élitros?

Las alas delanteras de los escarabajos están transformadas en duros escudos, llamados élitros. Estos forman una armadura que protege la parte posterior del tórax, incluido el segundo par de alas, y el abdomen.

Las alas anteriores no se usan en el vuelo, pero deben ser levantadas para poder usar las alas traseras. Cuando se posan, las traseras se guardan debajo de los élitros.

El escarabajo elefante es capaz de levantar ¡650 veces su propio peso!

¡QUÉ curioso!

Es conocido que en el antiguo Egipto apreciaban a los escarabajos, en particular el llamado «escarabajo pelotero». Para ellos representaba la inmortalidad, pues suponían que ese escarabajo 'resucitaba' de la pelota de estiércol que hacía.

La verdad es que el escarabajo pelotero deposita sus huevos en esa pelota, y allí nacen. El caso es que los antiguos egipcios depositaban sobre el corazón de las momias un escarabeo (amuleto en forma de escarabajo), símbolo de resurrección y de vida eterna.

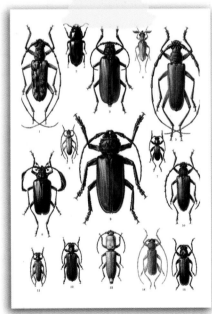

Los escarabajos forman el orden con más especies del planeta: hay descritos más de 300.000 tipos diferentes, lo que supone más de la cuarta parte de los animales de todo el planeta.

La mariquita
Familia de los escarabajos

Las mariquitas tienen un cuerpo casi esférico por arriba y plano por el dorso. La parte redondeada es de color rojo o anaranjado, muy brillante y con siete puntos negros. Otras especies de mariquita tienen más o menos puntos o son de otros colores.

¿DÓNDE vive?

Se localizan en todo el planeta excepto en las zonas con hielos permanentes o desiertos sin vegetación.

Su tamaño oscila de uno a 10 mm.

✓ ¿CÓMO se defiende?

Al percibir un ataque o un peligro, las mariquitas se quedan inmóviles y «se hacen las muertas». También es conocida su técnica de rociar con una toxina de color anaranjado a sus depredadores, pájaros insectívoros a los que no suele afectar el veneno, pero como el sabor no es agradable, dejan tranquilas a otras mariquitas.

En algunos lugares se las considera señal de buena suerte, y matarlas es un presagio de mala fortuna.

La mariquita es carnívora. Come pequeños insectos y larvas, pero sobre todo se alimenta de pulgón, por lo que es un insecto muy beneficioso para la agricultura. Una mariquita adulta puede consumir más de 1.000 de estos bichitos durante el verano.

¡QUÉ curioso!

Los vivos colores de las mariquitas sirven para mantener alejados a los predadores, que suelen asociar los colores brillantes (especialmente el naranja y negro o el amarillo y negro) con el veneno. Esto se denomina aposematismo o coloración aposemática.

De hecho, algunas mariquitas son realmente tóxicas para predadores de pequeño tamaño, como lagartos o pájaros pequeños, aunque un humano podría comer varios cientos de mariquitas sin notar ningún efecto. Por si acaso... ¡no lo hagas!

El saltamontes

Saltos increíbles

NOTAS

Los saltamontes son unos curiosos insectos conocidos por sus increíbles saltos. Los jóvenes no tienen alas, que desarrollarán al madurar. Suelen ser verdes, rojos o marrones pardos, variando los tonos de estos colores.

¿DÓNDE vive?

El saltamontes vive en Europa, África y Asia.

¿CÓMO se forma una plaga?

Cuando un saltamontes auténtico, es decir, no migratorio, se reproduce con excesiva rapidez y, por ello, provoca un agotamiento de los recursos alimentarios disponibles, sufre una transformación en su físico y en su comportamiento. Ante la escasez de alimento, su organismo libera una serie de hormonas que fomentan la movilidad alar para que los individuos puedan volar a otros lugares. Es en estos momentos cuando se vuelve peligroso, pues se desplazan en grandes enjambres, forman una peligrosa plaga y arrasan las cosechas.

Las hembras ponen sus huevos (entre 400 y 500) en arbustos, en huecos entre las rocas o en grietas de las cortezas de los árboles.

¡QUÉ curioso!

- Los saltamontes tienen fuertes patas traseras que les permiten saltar; en efecto, pueden dar grandes saltos porque el fémur de sus patas traseras es muy largo. Por ejemplo, pueden brincar sobre obstáculos que tengan ¡500 veces su propia altura!

- Generalmente cuentan con alas, pero solo las traseras les permiten volar, mientras que las delanteras no son útiles en el vuelo.

Algunas especies producen ruidos audibles, normalmente frotando los fémures contra las alas o el abdomen o con el golpeteo de las alas en el vuelo. Su órgano de audición se encuentra en los costados del primer segmento abdominal.

El murciélago
El único mamífero que vuela

NOTAS

El murciélago puede moverse de noche gracias a un sistema de ecolocalización que le permite volar y cazar a oscuras. Mediante una especie de sónar emite ultrasonidos que rebotan en la presa y luego son captados por el animal, lo que les permite capturarla.

Hay unas 1.000 especies vivas de murciélagos.

¿DÓNDE vive?

Los murciélagos viven en lugares cálidos, excepto en las zonas árticas y en ciertas islas oceánicas.

¿POR QUÉ pueden volar?

Son los únicos mamíferos que pueden volar activamente, es decir, no planeando, sino moviendo las alas. Para lograrlo tienen una delgada membrana llamada patagio que se extiende entre los delgados y largos dedos de las extremidades anteriores y su cuerpo.

Se agrupan en dos subórdenes: los murciélagos grandes o megamurciélagos, y los pequeños o micromurciélagos.

¡QUÉ curioso!

Solo tres de las casi 1.000 especies de murciélagos que hay en todo el mundo se pueden considerar vampiros verdaderos. Para conseguir sangre fresca hacen una pequeña herida a su presa por la que chupan la sangre.

La saliva del vampiro contiene sustancias anticoagulantes para que no se cierre la herida en el tiempo que está chupando (unos 15 minutos). Su víctima suele ser el ganado.

Se alimentan de pequeños insectos.

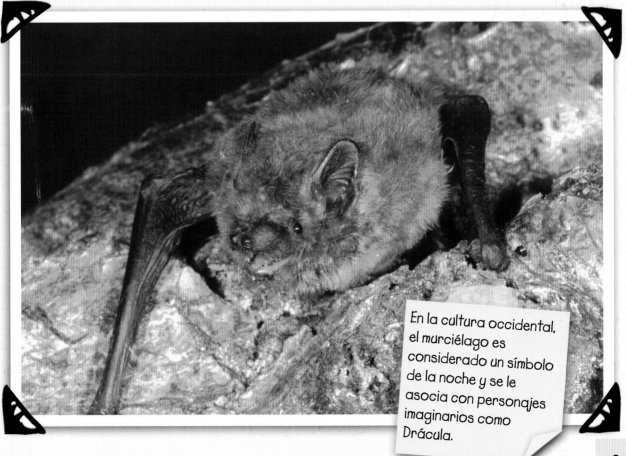

En la cultura occidental, el murciélago es considerado un símbolo de la noche y se le asocia con personajes imaginarios como Drácula.

✓ Contenido

© 2016, Editorial LIBSA
C/ San Rafael, 4
28108 Alcobendas (Madrid)
Tel.: (34) 91 657 25 80
Fax: (34) 91 657 25 83
e-mail: libsa@libsa.es
www.libsa.es

Colaboración en textos: Araceli Fernández Vivas / Equipo editorial LIBSA
Imágenes: Archivo LIBSA
Edición y maquetación: Equipo editorial LIBSA

ISBN: 978-84-662-3263-0